— Découvrir le Canada —

Henry Hudson

Erinn Banting

Weigl
CALGARY
www.weigl.ca

Publié par Weigl Educational Publishers Limited
6325 – 10e rue SE
Calgary (Alberta) Canada
T2H 2Z9

Site web : www.weigl.com

Tous les liens URL mentionnés dans le présent livre étaient valides au moment de la publication. En raison, toutefois, de la nature dynamique d'Internet, certaines adresses peuvent avoir été modifiées depuis et certains sites peuvent avoir été fermés. Bien que l'auteur et l'éditeur déplorent les désagréments qu'une telle situation peut occasionner, ils ne peuvent être tenus responsables de ces changements

Catalogage avant publication de Bibliothèque et Archives Canada
Banting, Erinn, 1976-
Henry Hudson / Erinn Banting.
(À la découverte du Canada)
Traduction de: Henry Hudson.
Comprend des réf. bibliogr. et un index.
Pour les jeunes.
ISBN 978-1-55388-565-8
1. Hudson, Henry, m. 1611--Ouvrages pour la jeunesse. 2. Nord-Ouest, Passage du--Découverte et exploration britanniques--Ouvrages pour la jeunesse. 3. Canada--Découverte et exploration britanniques--Ouvrages pour la jeunesse. 4. Explorateurs--Grande-Bretagne--Biographies--Ouvrages pour la jeunesse. 5. Explorateurs--Canada--Biographies--Ouvrages pour la jeunesse. I. Titre. II. Collection: À la découverte du Canada (Calgary, Alb.)

FC3211.1.H8B3514 2009 j971.01'14092 C2009-904436-6

Imprimé aux États-Unis d'Amérique
1 2 3 4 5 6 7 8 9 0 13 12 11 10 09

Nous reconnaissons l'aide financière du gouvernement du Canada par l'entremise du Programme d'aide au développement de l'industrie de l'édition (PADIÉ) pour ce projet.

COORDINATION DE PROJET
Janice L. Redlin

RÉVISION
Heather C. Hudak

CONCEPTION
Terry Paulhus

MISE EN PAGES
Terry Paulhus

RECHERCHE DE PHOTOS
Ken Price

Sur la couverture
Henry Hudson tente de trouver le passage du Nord-Ouest par le sud du Canada.

Couverture : **Clipart.com** (Henry Hudson) ; page 29 : **Jeff Brown**; pages 17, 19, 21 et 26-27 : **Warren Clark** ; pages 5, 26 HG, 26 HD, 26 BG, 26 BD et 30 : **Clipart.com** ; pages 1 et 10 : **Comstock.com** ; page 24 : **Environnement Canada, Parcs Canada** ; pages 4, 12 (**Lee Snider**) et 16 : **MAGMA/CORBIS** ; pages 6, 7, 9 et 22 : **Maryevans.com** ; page 25 : **Masterfile.com** ; pages 8 et 11 : **Bibliothèques et Archives Canada** ; pages 18 et 20 : **Northwindpictures.com** ; pages 3, 13 et 14 : **Photos.com**.

TABLE DES MATIÈRES

Introduction

Henry Hudson est l'un des plus fascinants explorateurs canadiens à avoir sillonné les mers européennes à bord d'un seul navire et à avoir vécu la **mutinerie** au sein de son équipage. Durant sa carrière d'explorateur, Hudson entreprend quatre voyages, dont deux vers l'Amérique du Nord. Bien qu'il n'atteigne jamais son objectif de trouver une voie commerciale plus rapide pour l'océan Pacifique, il découvre le détroit et la baie d'Hudson au Canada, ainsi que le fleuve Hudson aux États-Unis. La **navigation** dans ces eaux et l'exploration des régions avoisinantes ont contribué à bâtir le Canada d'aujourd'hui.

- En 1609, Hudson atteint la côte du Maine. Les membres de l'équipage mettent alors pied à terre pour chercher du bois qui servira à réparer les mâts du navire. Ils pêchent et troquent avec les Autochtones avant de reprendre la mer. Le 12 septembre 1609, Hudson entreprend l'exploration du fleuve qui porte aujourd'hui son nom.

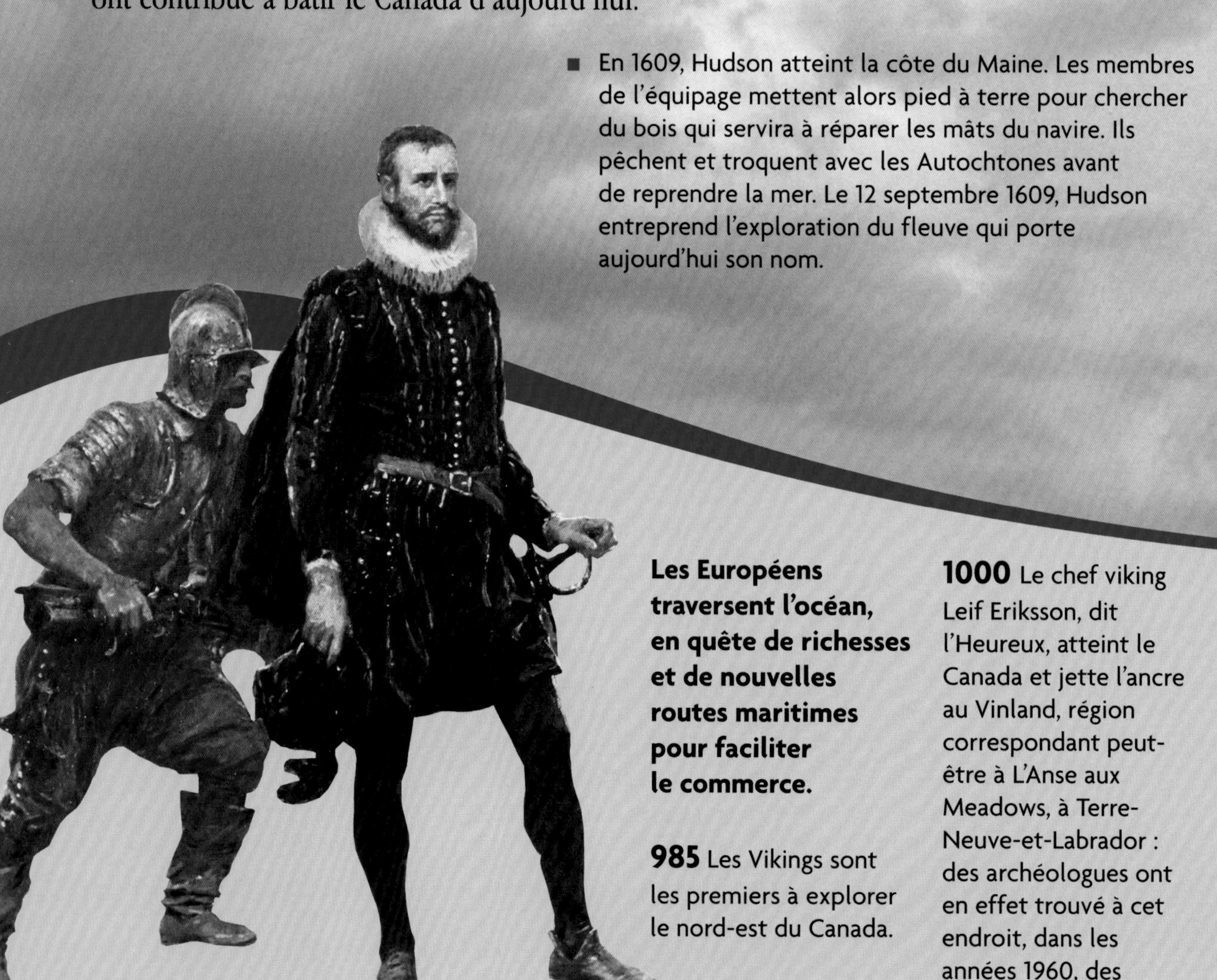

Les Européens traversent l'océan, en quête de richesses et de nouvelles routes maritimes pour faciliter le commerce.

985 Les Vikings sont les premiers à explorer le nord-est du Canada.

1000 Le chef viking Leif Eriksson, dit l'Heureux, atteint le Canada et jette l'ancre au Vinland, région correspondant peut-être à L'Anse aux Meadows, à Terre-Neuve-et-Labrador : des archéologues ont en effet trouvé à cet endroit, dans les années 1960, des artefacts vikings.

La venue au Canada de plusieurs explorateurs était animée par la recherche du **passage du Nord-Ouest**, une voie qui, selon la France et l'Angleterre, devait permettre d'atteindre plus rapidement l'Asie et l'Inde. Hudson caressait également ce rêve. Tout comme les autres avant lui, il a échoué. Par contre, il a découvert une vaste étendue de terre riche en ressources et en beautés naturelles : le Canada.

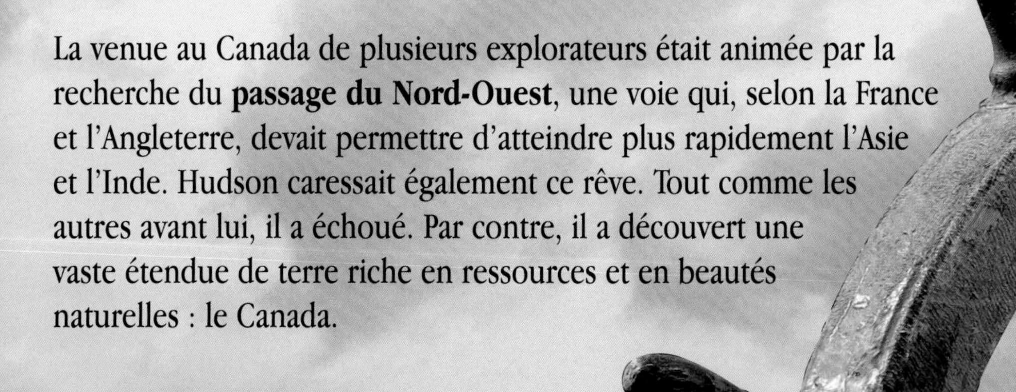

■ Une roue est reliée au gouvernail situé à l'arrière du bateau. Le gouvernail est constitué d'une partie plane immergée, faite de bois ou de métal, que l'on oriente pour changer la direction du bateau.

1497 Jean Cabot, à la recherche de l'Extrême-Orient, navigue vers Terre-Neuve-et-Labrador.

1534 Jacques Cartier effectue un premier voyage au Canada afin de prendre possession de nouveaux territoires au nom du roi de France.

1603 Samuel de Champlain navigue vers le Canada et en dresse les premières cartes précises.

1609 Henry Hudson fait voile vers l'actuelle Terre-Neuve-et-Labrador. Il met ensuite le cap vers le sud et découvre le fleuve Hudson.

Les premières années

Bien qu'on en sache beaucoup sur la vie trépidante d'explorateur d'Henry Hudson, son enfance demeure un mystère. Des écrits témoignent qu'il serait né près de Londres, en Angleterre, mais sa date de naissance est inconnue. Les **historiens** croient qu'il est né entre 1570 et 1575.

■ Plusieurs secteurs de ce qu'on appelle le centre de Londres sont situés au nord de la Tamise, y compris les cités de Londres et de Westminster et les quartiers du *West End*.

À cette époque, Londres est l'une des villes les plus puissantes au monde et le plus grand port d'Angleterre. Parmi les nombreux navires qui y mouillent, certains sont sur le point d'appareiller pour le **Nouveau Monde**, notamment la Nouvelle-France, l'Amérique du Sud et les Caraïbes. D'autres se préparent à transporter des marchandises aux Indes orientales et en Russie. Les historiens croient que le père et le grand-père d'Hudson, aussi prénommés Henry, effectuaient de nombreux échanges commerciaux. Le père d'Hudson était un **marchand**. Son grand-père était l'un des fondateurs de la Compagnie de Moscovie, une compagnie commerciale qui finançait des expéditions partout dans le monde.

Histoire en bref

Personne ne sait à quoi ressemblait exactement Hudson. Les seuls portraits qui existent ont été dessinés après sa mort en 1611.

LA COMPAGNIE DE MOSCOVIE

La Compagnie de Moscovie a été mise sur pied par un groupe de dirigeants, de marchands et d'explorateurs provenant de l'Angleterre, de la France, de la Hollande, du Portugal, de l'Espagne et de la Russie. Ils visaient à s'enrichir en prenant possession de nouvelles terres et en établissant des ententes commerciales avec des pays lointains.

En 1548, la Compagnie de Moscovie finance sa première expédition : trois navires dirigés par Sir Hugh Willoby. Au cours du voyage, deux navires disparaissent et Willoby et son équipage meurent. Le navire du capitaine Richard Chancellor atteint la Russie, où une entente commerciale est conclue. Malgré tout, l'expédition est un échec aux yeux de la Compagnie.

Les expéditions

Beaucoup d'historiens croient qu'Hudson est devenu un navigateur et un marin expérimenté au cours des premières expéditions financées par la Compagnie de Moscovie. À l'ère des Grandes Découvertes, il était courant de voir de jeunes hommes travailler sur les navires pour apprendre à affronter les dangers de la mer.

Histoire en bref

Plusieurs membres de la famille Hudson ont voulu explorer les contrées lointaines et naviguer sur les mers. Deux des fils de Henry Hudson sont devenus marins, y compris son fils John qui l'a accompagné à chacune de ses quatre expéditions.

On rapporte qu'en 1607, Hudson est un marin et un navigateur compétent, capable de diriger un navire au cours d'une expédition. Pour faire ses classes, il aurait d'abord, à l'âge de 16 ans, joué le rôle de garçon de cabine ou d'assistant du capitaine. À ce titre, Hudson aide le capitaine et l'équipage à réaliser de nombreuses tâches, y compris l'entretien du navire et la cuisine. Après un certain temps, les garçons de cabine devenaient des **apprentis**. On leur enseignait à naviguer et à prédire le temps pour qu'ils puissent un jour commander un navire. Hudson est devenu un apprenti à 23 ans. Durant sa formation, il aurait aussi appris à lire, à dresser et à lire des cartes.

- Parmi tous les explorateurs qui ont recherché un passage nordique entre l'Europe et l'Asie, Henry Hudson est celui qui est allé le plus au nord.

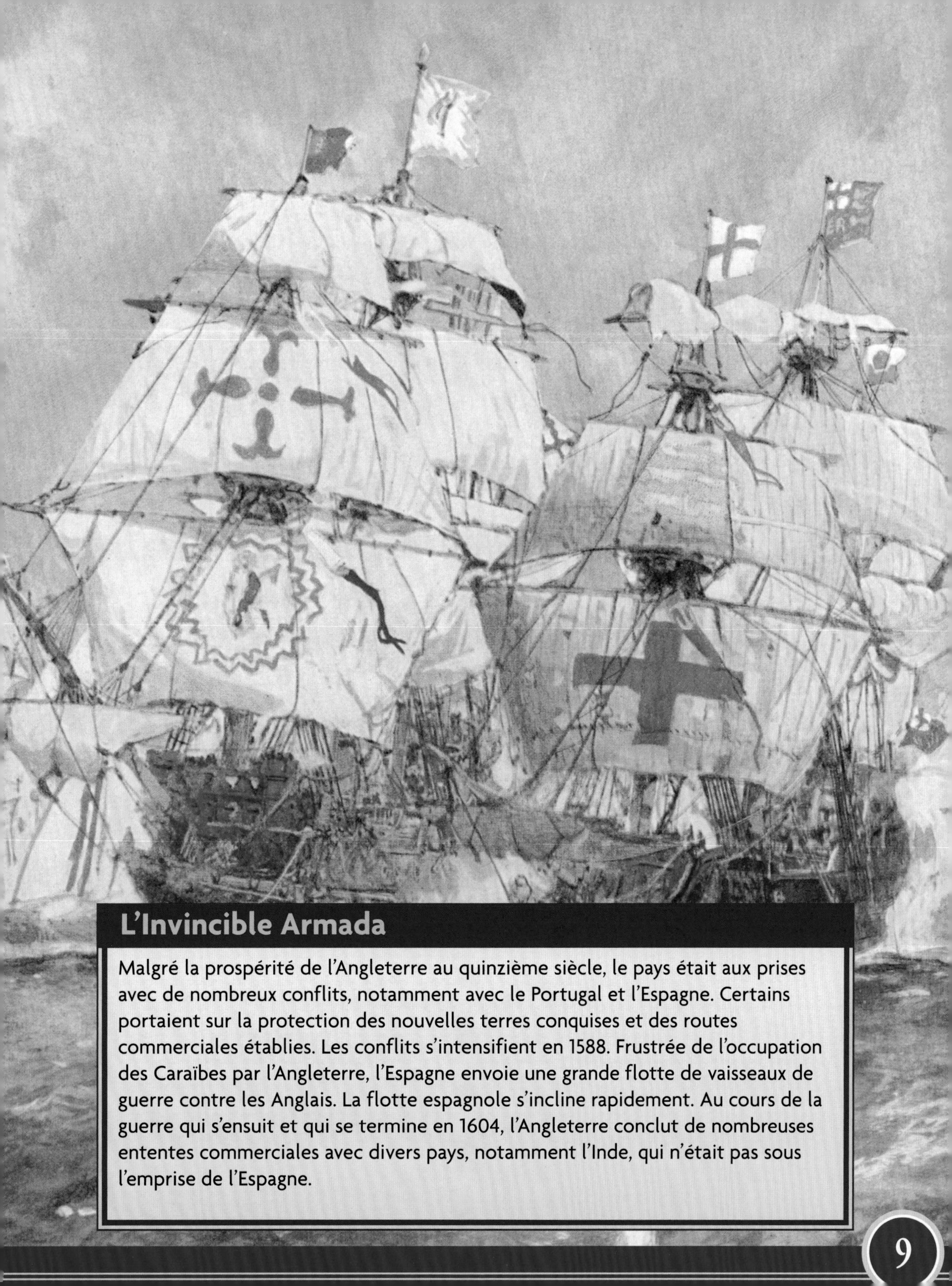

L'Invincible Armada

Malgré la prospérité de l'Angleterre au quinzième siècle, le pays était aux prises avec de nombreux conflits, notamment avec le Portugal et l'Espagne. Certains portaient sur la protection des nouvelles terres conquises et des routes commerciales établies. Les conflits s'intensifient en 1588. Frustrée de l'occupation des Caraïbes par l'Angleterre, l'Espagne envoie une grande flotte de vaisseaux de guerre contre les Anglais. La flotte espagnole s'incline rapidement. Au cours de la guerre qui s'ensuit et qui se termine en 1604, l'Angleterre conclut de nombreuses ententes commerciales avec divers pays, notamment l'Inde, qui n'était pas sous l'emprise de l'Espagne.

La course aux richesses

Pendant des milliers d'années, on a cherché des façons d'effectuer le commerce de biens précieux comme les épices, la soie et les bijoux entre l'Asie et l'Europe. Au XVIe siècle, certains pays d'Europe, notamment l'Espagne et le Portugal, avaient le contrôle de la seule voie maritime connue. Cette route obligeait les marins à parcourir une longue distance au sud de l'Europe et à contourner l'Afrique. Beaucoup croyaient qu'il existait une route beaucoup plus simple et rapide au nord, mieux connue sous le nom de passage du Nord-Ouest.

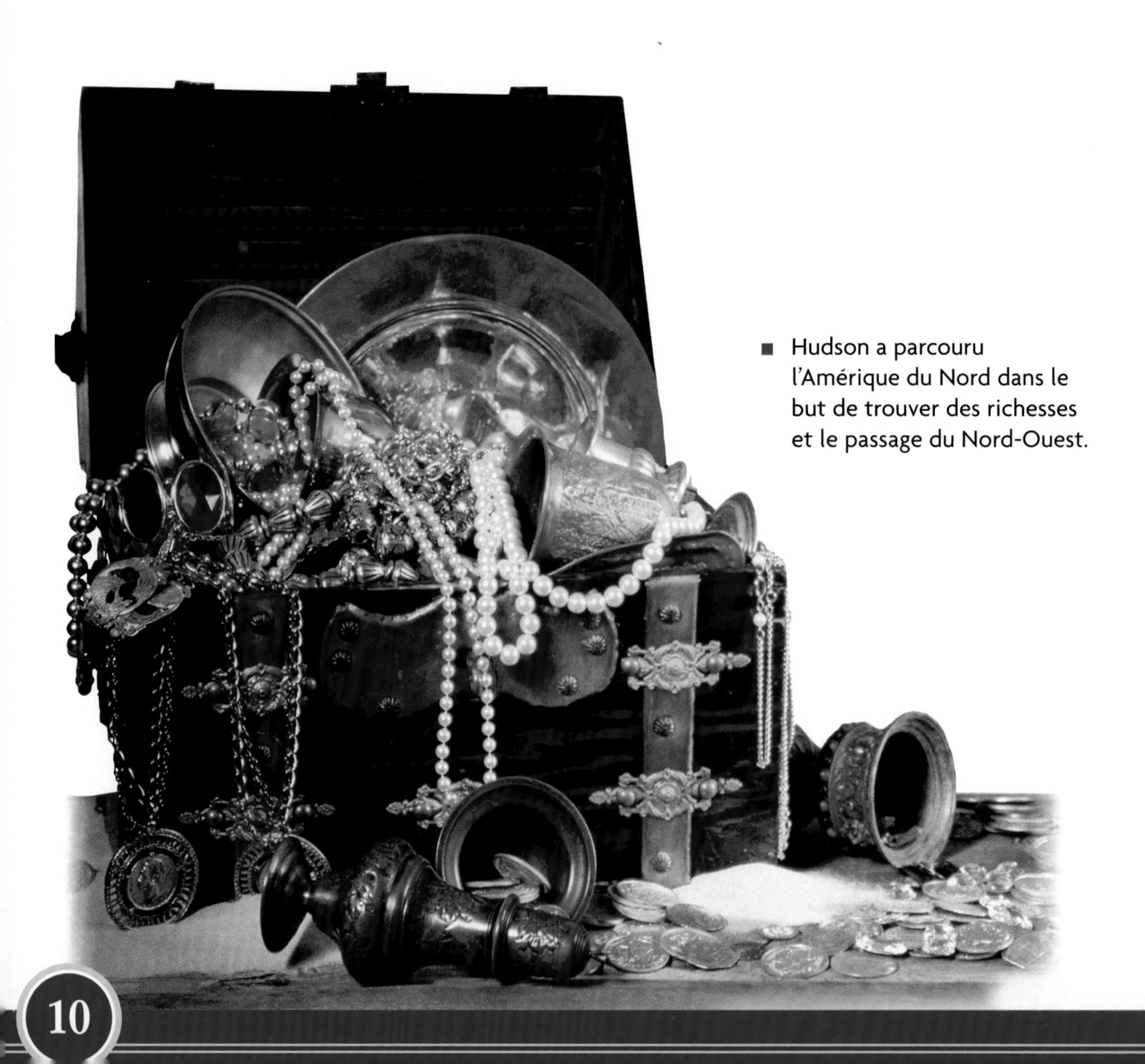

- Hudson a parcouru l'Amérique du Nord dans le but de trouver des richesses et le passage du Nord-Ouest.

Histoire en bref

En 1497, l'explorateur Jean Cabot atteint la côte est de ce qui allait être la Nouvelle-France. Son fils Sébastien, un membre fondateur de la Compagnie de Moscovie, est lui aussi avide de trouver le passage du Nord-Ouest.

Les explorateurs anglais avaient un intérêt particulier à trouver ce passage. Située au nord de l'Europe, l'Angleterre en était le plus près. Par contre, parce que les premières expéditions s'étaient soldées par un échec, le gouvernement britannique hésitait à en financer d'autres. Les explorateurs devaient donc trouver eux-mêmes les moyens d'acheter un navire et des provisions, et de payer les membres de l'équipage. C'est ainsi que les compagnies commerciales, comme la Compagnie de Moscovie, ont commencé à financer des expéditions. En 1607, la Compagnie de Moscovie décide d'accorder à Henry Hudson les fonds nécessaires à son premier voyage d'exploration, convaincue par le plan qu'il a élaboré pour trouver le mystérieux passage du Nord-Ouest.

La découverte de la baie Frobisher

La recherche du passage du Nord-Ouest a commencé bien avant qu'Hudson n'entreprenne sa première expédition. Au début du quinzième siècle, les explorateurs Giovanni da Verrazzano et Jacques Cartier ont exploré la Nouvelle-France à la recherche de ce passage.

En 1576, un autre explorateur **corsaire**, du nom de Martin Frobisher, part à la recherche d'une route vers la Chine. Au cours de son périple, il explore une partie de l'est de l'Arctique canadien, notamment l'actuelle baie Frobisher. Frobisher a également été le premier Européen à découvrir le Labrador, la baie de Baffin et ce qu'on appelle aujourd'hui le détroit d'Hudson.

Les navires et les instruments

Entre 1607 et 1611, Henry Hudson entreprend quatre expéditions : trois au nom de l'Angleterre et une au nom de la Hollande. On en sait très peu sur le premier navire d'Hudson, le *Hopewell*. Comme Hudson ne disposait pas de beaucoup d'argent, les historiens croient qu'il s'agissait d'une barque. Une barque était un très petit navire composé de deux **mâts** principaux et d'un plus petit mât à l'avant. L'équipage vivait à l'étroit dans une seule pièce appelée un gaillard. Les petites voiles triangulaires servaient à déplacer la barque selon la force du vent, sans quoi la barque ne bougeait pas.

Pour son troisième voyage, les Hollandais construisent le plus connu des navires d'Hudson, le *Half Moon*. Ce dernier était beaucoup plus grand et solide que le premier. Il mesurait 26 mètres de longueur et comptait quatre mâts, six canons et suffisamment d'espace sous le pont pour stocker une cargaison de 73 tonnes.

■ En juin 1989, on a construit une réplique du *Half Moon* d'Henry Hudson à Albany, dans l'État de New York, afin de rendre hommage à la contribution des Hollandais à la colonisation de l'Amérique.

Histoire en bref

Les navigateurs anglais se servaient de quadrants pour mesurer l'altitude du Soleil à l'horizon. On appelait cette technique « faire le point ».

L'équipage d'Hudson comptait de 10 à 25 membres. Plusieurs d'entre eux n'étaient pas des marins d'expérience, en raison du manque d'argent d'Hudson pour les payer. De plus, certains refusaient de se rendre dans les régions nordiques. L'équipage était composé, entre autres, d'un second, d'un garçon de cabine, d'un charpentier, d'un cuisinier et d'un **maître d'équipage**.

Un compas sert à décrire des cercles et des lignes courbes, ainsi qu'à mesurer des distances.

Pour naviguer sur les mers et tracer et dresser la carte des terres découvertes, Hudson employait divers instruments, notamment un astrolabe, une **boussole** et un cadran. Les astrolabes servaient à montrer la position des objets dans le ciel afin de mesurer la **latitude** du navire et sa position. Les navigateurs utilisaient les boussoles pour diriger le navire dans la bonne direction. Les quadrants servaient, quant à eux, à mesure l'altitude.

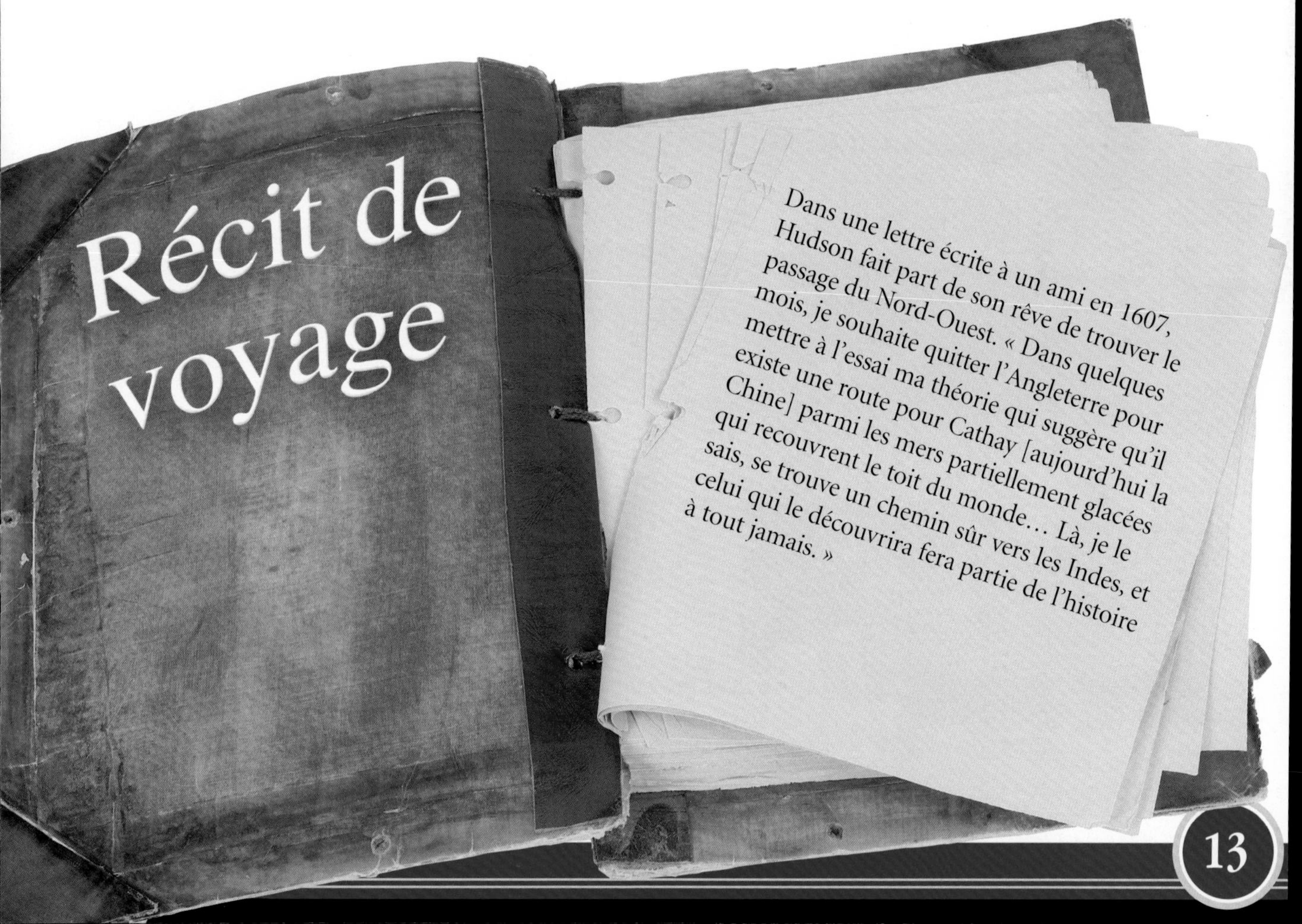

Récit de voyage

Dans une lettre écrite à un ami en 1607, Hudson fait part de son rêve de trouver le passage du Nord-Ouest. « Dans quelques mois, je souhaite quitter l'Angleterre pour mettre à l'essai ma théorie qui suggère qu'il existe une route pour Cathay [aujourd'hui la Chine] parmi les mers partiellement glacées qui recouvrent le toit du monde… Là, je le sais, se trouve un chemin sûr vers les Indes, et celui qui le découvrira fera partie de l'histoire à tout jamais. »

Les provisions

La vie en mer était très ardue et bien souvent périlleuse. L'équipage gardait la nourriture, l'eau et la marchandise sur le navire. Puisque les navires étaient conçus pour empêcher l'eau de pénétrer la structure de bois, les cales n'étaient pas bien **aérées**. Or, malgré tous les efforts pour maintenir les navires étanches, de l'eau s'infiltrait tout de même. La nourriture pourrissait souvent à cause de l'humidité et de l'air vicié. Les navires étaient également **infestés** de rats et d'insectes. Les stocks de biscuits de mer, d'épais craquelins faits de farine et d'eau, étaient souvent envahis d'asticots. De plus, les insectes s'attaquaient au porc et au bœuf séchés utilisés dans les ragoûts.

Il était également difficile de garder l'eau salubre à bord du navire. Souvent **contaminée**, l'eau rendait l'équipage très malade. L'eau salée ne pouvait pas être consommée non plus.

■ Les provisions étaient gardées dans des barils et des caisses en bois.

En raison de la petite taille des navires, il était impossible de faire bouillir l'eau de mer pour la rendre potable. Bien souvent, l'équipage devait attendre que le navire accoste pour trouver de l'eau fraîche.

Histoire en bref

On faisait souvent boire aux marins du thé aux épines de pin ou aux bourgeons de mélèze pour les soulager de leurs douleurs.

En vue d'une longue expédition, un équipage apportait normalement du fromage, des haricots séchés, du gruau, du sucre, des légumes comme des oignons, des carottes et des pois, ainsi que du sel (pour préserver le poisson). Ils ne pouvaient conserver des fruits et des légumes frais pour une longue période. Au cours des longs périples, bien des matelots contractaient le **scorbut**, une maladie causée par un manque de vitamine C. La maladie provoquait la pourriture des gencives et la perte des dents.

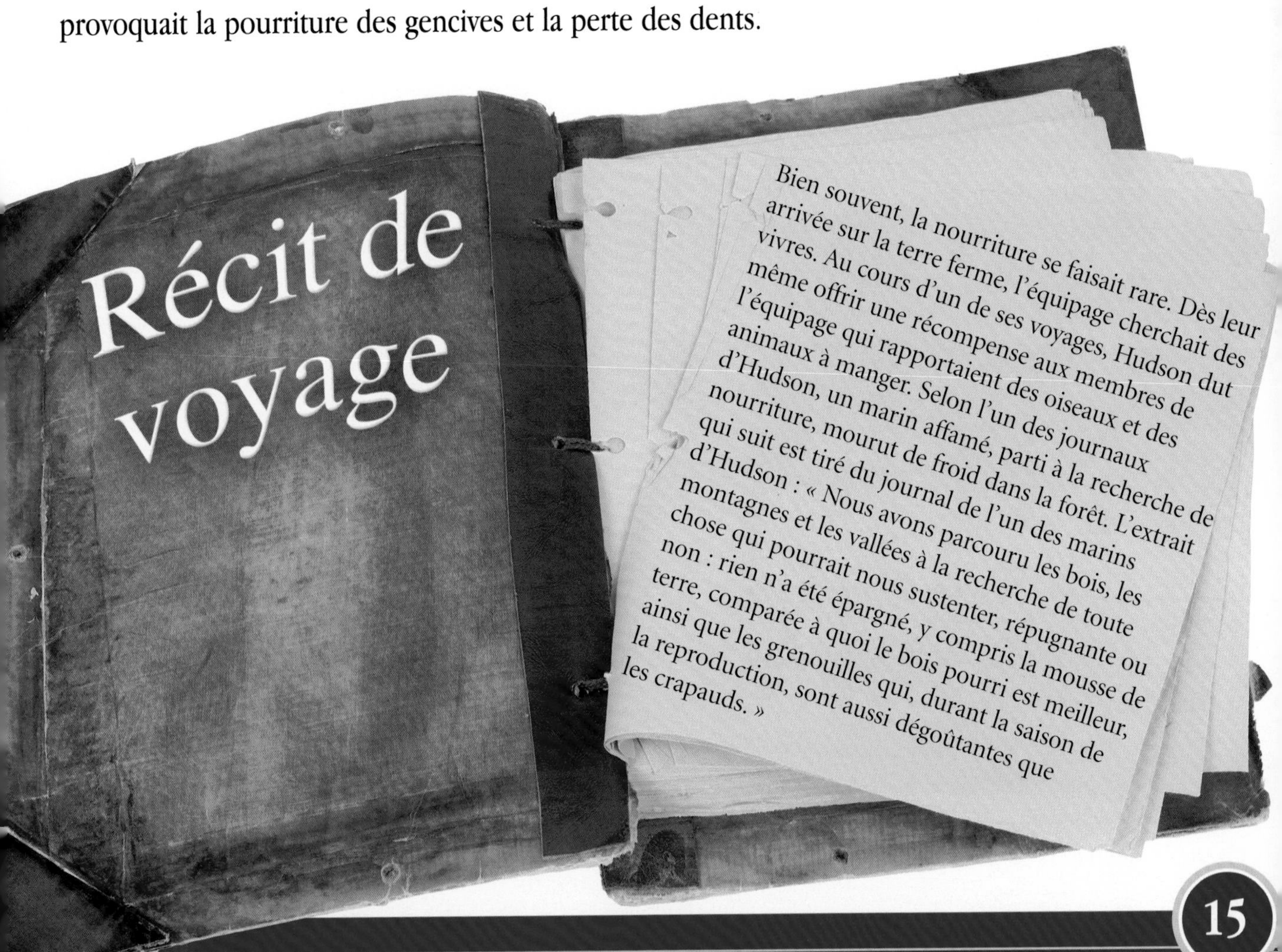

Récit de voyage

Bien souvent, la nourriture se faisait rare. Dès leur arrivée sur la terre ferme, l'équipage cherchait des vivres. Au cours d'un de ses voyages, Hudson dut même offrir une récompense aux membres de l'équipage qui rapportaient des oiseaux et des animaux à manger. Selon l'un des journaux d'Hudson, un marin affamé, parti à la recherche de nourriture, mourut de froid dans la forêt. L'extrait qui suit est tiré du journal de l'un des marins d'Hudson : « Nous avons parcouru les bois, les montagnes et les vallées à la recherche de toute chose qui pourrait nous sustenter, répugnante ou non : rien n'a été épargné, y compris la mousse de terre, comparée à quoi le bois pourri est meilleur, ainsi que les grenouilles qui, durant la saison de la reproduction, sont aussi dégoûtantes que les crapauds. »

La traversée de l'Atlantique

Entre mai 1607 et avril 1608, la Compagnie de Moscovie embauche Hudson pour qu'il entreprenne deux expéditions de recherche d'une route commerciale plus rapide. Aux yeux de l'explorateur, ces deux voyages se sont soldés par un échec. Hudson et son équipage ont toutefois fait d'importantes découvertes.

Au cours du premier voyage, en 1607, ils explorent la côte nord-est du Groenland. Ils mettent ensuite le cap vers l'est, où ils découvrent un archipel (un groupe d'îles) norvégien aujourd'hui connu sous le nom de Svalbard. Ils y voient un très grand nombre de baleines, en particulier à un endroit qu'ils nommeront « la baie des Baleines ».

■ Le *Half Moon* a été d'abord appelé le *Halve Maen* par la Compagnie néerlandaise des Indes orientales.

Les deux premières expéditions d'Hudson (1607 et 1608)

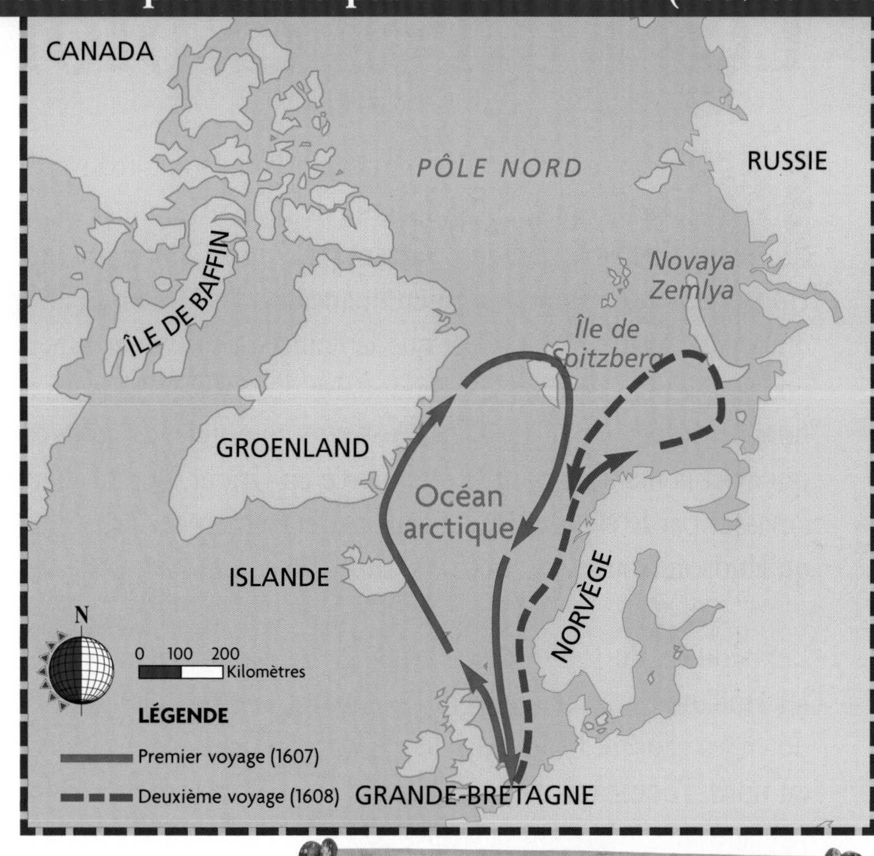

Aujourd'hui, on appelle cet endroit la baie de Collin, d'après le nom d'un des membres de l'équipage d'Hudson. Cette découverte a permis à l'Angleterre de lancer son industrie baleinière. On utilisait les os et le lard (graisse) pour fabriquer des produits de luxe, comme de l'huile d'éclairage.

Au cours de son deuxième voyage, en 1608, Hudson et son équipage mettent le cap au nord-est, vers la Russie. Lorsqu'il atteint l'archipel de Novaya Zemlya, Hudson découvre un groupe de morses. Or, les Européens chassaient le morse pour leurs défenses en ivoire. Elles servaient à fabriquer différents objets, y compris des bijoux et des touches de piano.

L'industrie baleinière a contribué à l'essor de l'Angleterre, mais elle a aussi décimé les populations de baleines, en particulier dans les eaux du Canada. Diverses espèces de baleines sont aujourd'hui protégées ; il est en effet interdit de les chasser.

Parce qu'ils ne pouvaient aller plus loin au nord des îles, Hudson et son équipage ont dû modifier leur parcours. Déterminé à trouver le passage du Nord-Ouest, Hudson ment à son équipage en leur racontant qu'il retourne en Angleterre. En vérité, il bifurque à l'ouest, vers l'Amérique du Nord. Lorsque les membres de l'équipage, épuisés d'endurer le climat glacial, le réalisent, ils le menacent de mutinerie ou de rébellion. Hudson se plie à leur demande et retraite vers la terre mère.

Les autres explorations

Déçue par léchec des tentatives d'Hudson à trouver le passage du Nord-Ouest, la Compagnie de Moscovie refuse de financer une autre expédition. Désirant parcourir l'Amérique du Nord, Hudson cherche alors le soutien financier de la Hollande et de la France, deux pays rivaux. Pour éviter que la France découvre le fameux passage en premier, la Compagnie néerlandaise des Indes orientales accepte de financer le périple d'Hudson. C'est sans compter que cette compagnie, qui avait la mainmise sur le commerce en Orient, perdait temps et argent à passer par le cap de Bonne-Espérance pour s'y rendre. Elle désire qu'Hudson trouve une nouvelle route de commerce.

L'expédition de 1609 est éprouvante. La discorde règne entre les Anglais et les Hollandais qui composent l'équipage. Le mauvais temps et le manque de vivres causent beaucoup de mécontentement. Après un certain temps au nord, l'équipage menace Hudson de mutinerie. Pour éviter la rébellion, Hudson met le cap sur la Nouvelle-France, contrairement à ce que la Compagnie lui avait ordonné de faire. L'équipage, calmé par la promesse d'un climat plus clément et de nourriture et d'eau fraîches, accepte de poursuivre l'expédition.

■ En 1609, Hudson remonte un long fleuve appelé « Manna-hatta » par les Autochtones. Ce fleuve porte aujourd'hui le nom de l'explorateur. Au cours de leurs périples, Hudson et son équipage ont troqué des couteaux et des haches contre des baies, des peaux de castor et de loutre, ainsi que du tabac.

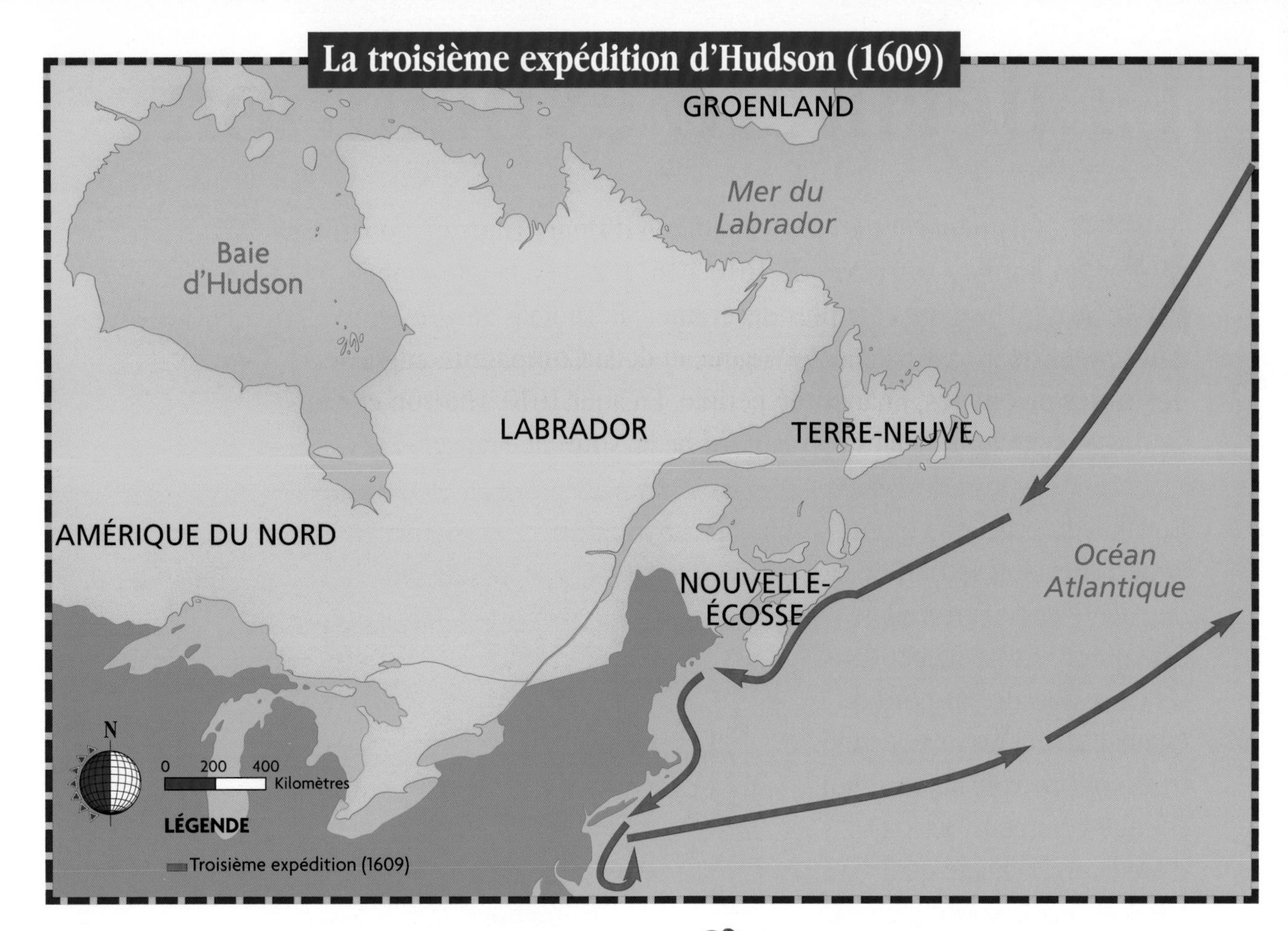

Hudson a d'abord atteint ce qu'on appelle aujourd'hui Terre-Neuve-et-Labrador au Canada. Il navigue au sud, jusqu'aux baies du Delaware et de Chesapeake, croyant qu'il trouverait une rivière qui traverserait l'Amérique du Nord, et ainsi un passage plus rapide vers l'Inde. Hudson et son équipage remontent toutefois vers le nord lorsqu'il devient évident que la route n'est pas un passage vers l'Asie. Dans cette direction, ils découvrent l'embouchure d'un grand fleuve qu'ils explorent en septembre 1610. Il porte aujourd'hui le nom de fleuve Hudson.

Histoire en bref

À la fin de sa troisième expédition, au cours de son voyage de retour en Hollande, Hudson est mis en arrestation parce qu'il n'est pas retourné en Angleterre. Certains historiens croient qu'il a été relâché pour qu'il entreprenne son dernier périple.

Bien qu'Hudson n'ait pas trouvé le passage du Nord-Ouest, l'exploration de ce fleuve a permis d'établir des colonies, ainsi qu'une route commerciale au Canada. Elle a, de plus, mené à la découverte de certaines régions des États-Unis, notamment de New York.

La dernière expédition

La quatrième et dernière expédition d'Henry Hudson, qu'il dirige à bord du *Discovery* de 1610 à 1611, a été à la fois la plus enrichissante et la plus décevante. Sir Thomas Smythe, gouverneur de la Compagnie de Virginie et de la **Compagnie anglaise des Indes orientales**, finançait le périple. En août 1610, Hudson et son équipage mettent les voiles vers le nord de la Nouvelle-France.

Parmi l'équipage, on compte Robert Juet, son second de la deuxième et de la troisième expédition. Ils naviguent dans les eaux glaciales au nord du Québec actuel jusqu'à ce qu'ils trouvent une voie aujourd'hui connue comme le détroit d'Hudson. Persuadé qu'il s'agit du passage tant convoité, Hudson convainc l'équipage de poursuivre l'expédition. Après avoir parcouru des centaines de kilomètres dans le détroit, ils tombent enfin sur l'actuelle baie d'Hudson.

- Au cours de la mutinerie de son équipage, Hudson, son fils ainsi que sept autres membres furent abandonnés à leur sort dans une chaloupe, sans nourriture ni eau.

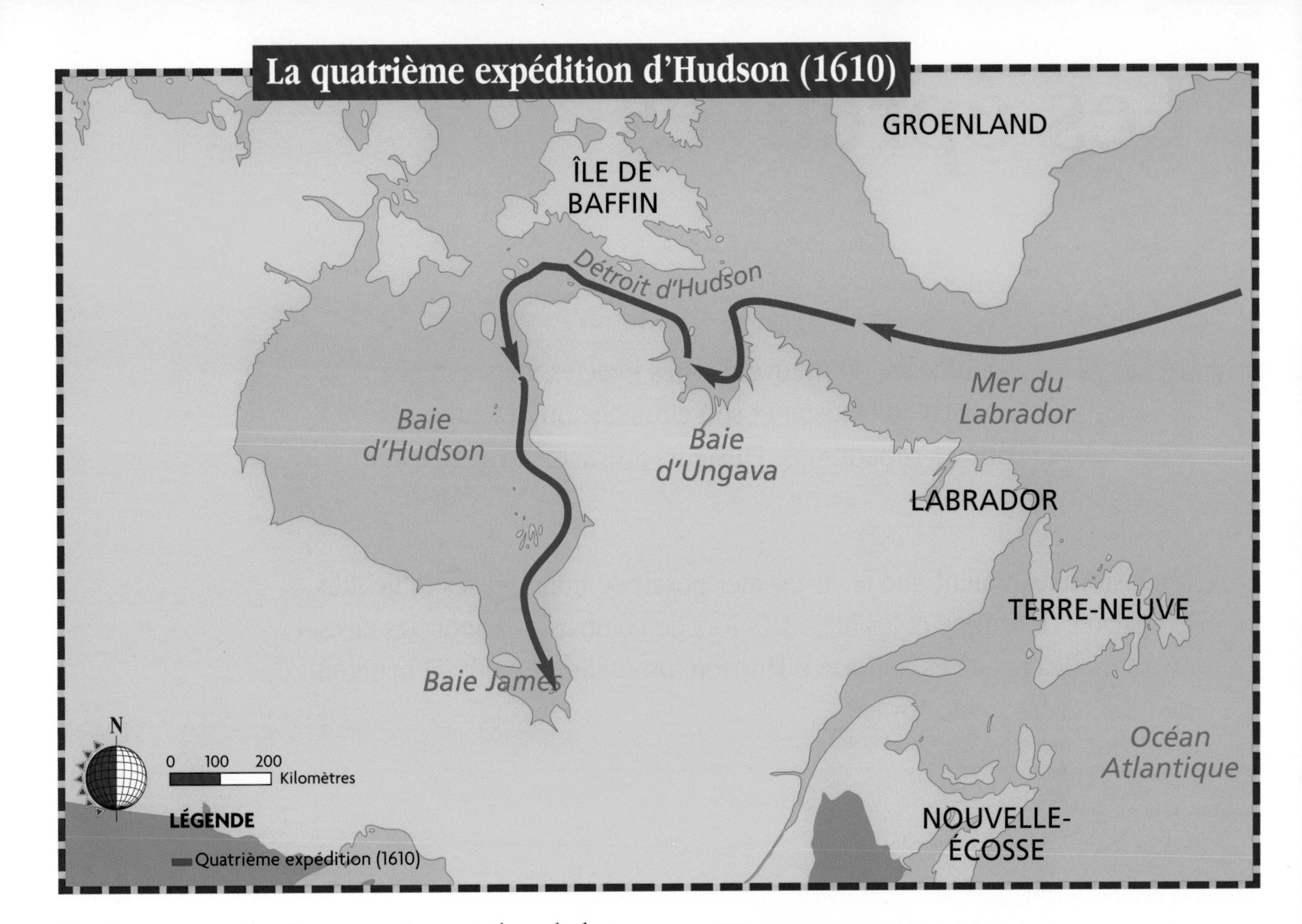

Hudson et son équipage naviguent dans la baie, mais ne trouvent aucun passage vers l'ouest. Ils restent emprisonnés dans la glace une grande partie de l'hiver. Hudson encourage son équipage à poursuivre le périple, mais ceux-ci ne peuvent plus endurer les mauvaises conditions et le manque de vivres. L'équipage vole des Autochtones de la Nouvelle-France, ce qui déclenche les hostilités et fait de nombreux blessés. Ces tensions culminent par une mutinerie. Juet et d'autres membres de l'équipage abandonnent à leur sort Hudson, son fils et quelques autres marins dans une chaloupe à la dérive dans la baie d'Hudson. Personne ne les revit plus.

Histoire en bref

Après la mutinerie, Robert Bylot prit les commandes du voyage de retour du *Discovery* en Angleterre. Bylot est retourné plusieurs fois dans la baie d'Hudson dans l'espoir de retrouver Hudson.

Les épreuves

En raison du peu de preuves écrites intactes, il est difficile d'évaluer ce qu'Hudson et son équipage ont dû supporter pendant les expéditions. Plusieurs journaux d'Hudson ont également disparu.

Les historiens croient que la vie en mer posait de nombreuses difficultés. La maladie, la famine et les blessures lors de combats n'étaient pas rares. Au cours de chaque expédition d'Hudson, un grand nombre de matelots ne terminaient pas le voyage.

- Les Autochtones ont joué un rôle primordial dans l'histoire de la vallée de l'Hudson. Leur connaissance de la région et leurs produits ont été la pierre angulaire de la traite des fourrures.

Histoire en bref

Au cours de sa quatrième expédition, Hudson est forcé de passer l'hiver en Nouvelle-France. Il a été le premier Européen à braver le froid des hivers canadiens à bord d'un navire.

Bien souvent, l'équipage n'avait pas la nourriture, l'eau et les outils nécessaires pour survivre au climat rigoureux. Au cours de sa troisième et de sa quatrième expédition, Hudson et son équipage ont dû faire face à de nombreux conflits avec les Autochtones qui vivaient en Nouvelle-France. Certains des marins ont été tués, d'autres ont subi des blessures graves.

Le climat glacial du Grand Nord posait toutefois l'un des plus grands défis. Les vents changeants, la neige, la glace, les **courants** gelés, les glaces en marche et les icebergs constituaient des menaces à chacune des expéditions. Durant la première et la troisième expédition, par exemple, Hudson et son équipage ont évité de justesse des icebergs.

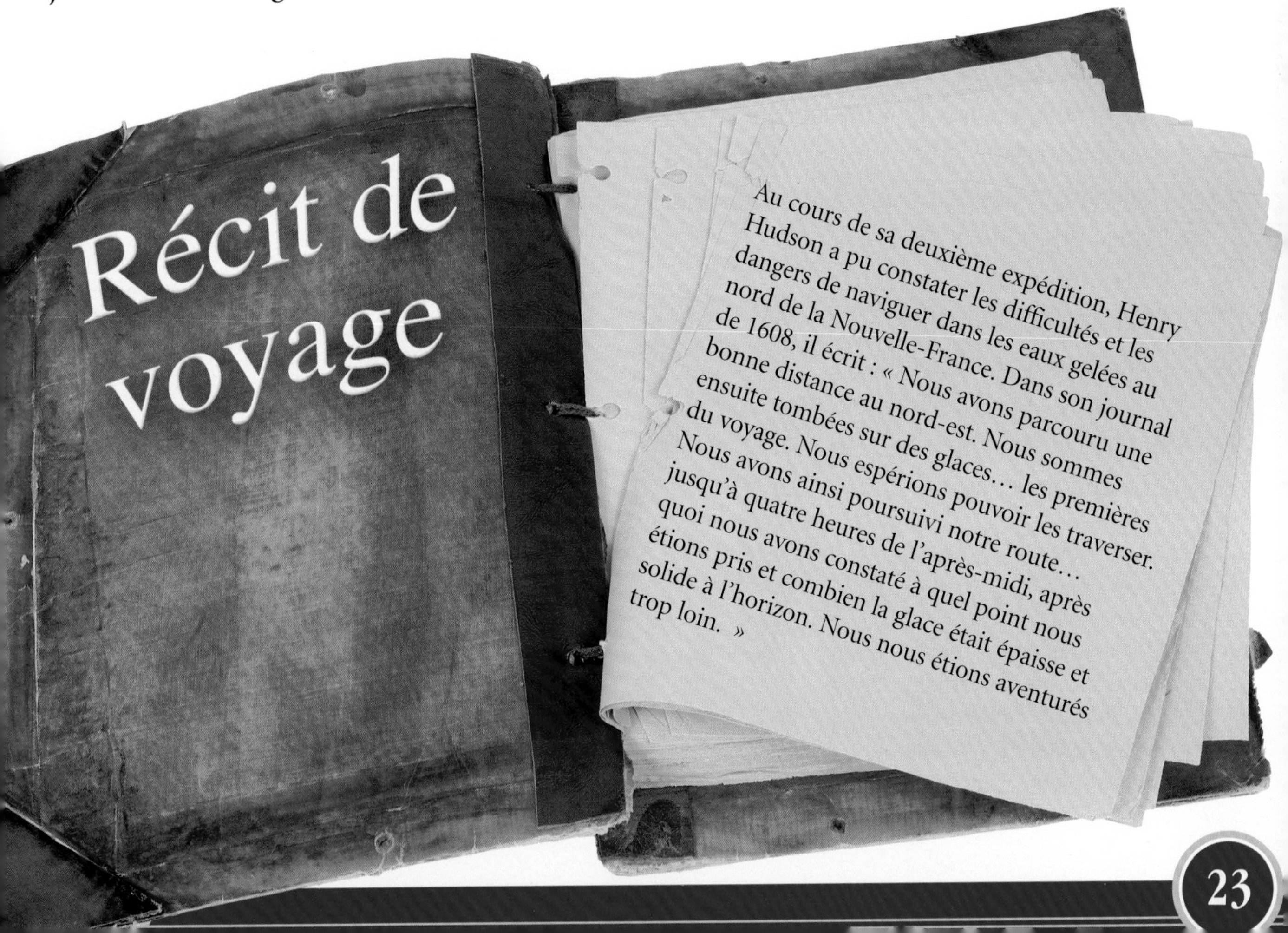

Récit de voyage

Au cours de sa deuxième expédition, Henry Hudson a pu constater les difficultés et les dangers de naviguer dans les eaux gelées au nord de la Nouvelle-France. Dans son journal de 1608, il écrit : « Nous avons parcouru une bonne distance au nord-est. Nous sommes ensuite tombées sur des glaces… les premières du voyage. Nous espérions pouvoir les traverser. Nous avons ainsi poursuivi notre route… jusqu'à quatre heures de l'après-midi, après quoi nous avons constaté à quel point nous étions pris et combien la glace était épaisse et solide à l'horizon. Nous nous étions aventurés trop loin. »

L'héritage

L'une des plus grandes réalisations d'Henry Hudson est d'avoir tracé une carte des territoires inconnus de l'Amérique du Nord. Son exploration du fleuve Hudson a donné lieu aux plus importantes routes commerciales de l'histoire des États-Unis. De plus, les terres adjacentes au fleuve Hudson, qu'il a revendiquées au nom de la Hollande, sont devenues le New York d'aujourd'hui.

Histoire en bref

Les observations faites par Hudson au cours de sa troisième expédition ont contribué à dresser l'une des premières cartes détaillées du Grand Nord, y compris du nord-est du Canada.

Ses cartes du détroit et de la baie d'Hudson ont ouvert le chemin à l'exploration de la Nouvelle-France, à sa colonisation et à la traite des fourrures. Grâce à lui, plusieurs explorateurs européens se sont aventurés en Nouvelle-France. Ils y ont découvert de nombreuses richesses naturelles, comme le castor, dont la fourrure servait à confectionner des vestes, des chapeaux et des manteaux. L'abondance des castors a attiré en Nouvelle-France des milliers de personnes voulant participer à la traite des fourrures. Elles se sont établies tout autour de la baie d'Hudson, au Québec, en Ontario, au Manitoba et au Nunavut actuels.

■ Au XVIIe siècle, en raison de la chasse abusive du castor en Europe, la traite des fourrures en Nouvelle-France a rapidement pris de l'ampleur.

L'héritage laissé par Hudson survit dans les divers lieux historiques et sites naturels nommés en son honneur. Le fleuve Hudson, le détroit d'Hudson et la baie d'Hudson, entre autres beautés de la nature, témoignent de son importante contribution. Construit en 1936, le pont Henry Hudson, qui relie Manhattan au Bronx à New York, est l'une des constructions les plus connues au monde. Au Canada, nombre de sites naturels, comme des parcs, portent le nom d'Hudson, en particulier dans les régions avoisinant la baie d'Hudson. C'est aussi le cas de villes, de rues et même de mines et de chemins de fer.

■ La baie d'Hudson, une mer intérieure s'étendant sur 1 230 000 km^2, est située au centre du Canada et borde le Nunavut, le Manitoba, l'Ontario et le Québec. Aucune glace ne s'y forme entre juillet et octobre et les navires peuvent ainsi y circuler librement.

Bien que la Compagnie de la Baie d'Hudson ne porte pas le nom du célèbre explorateur, elle porte celui de la baie qu'il a découverte. Cette compagnie, une des plus importantes entreprises de l'histoire du Canada, a joué un rôle prépondérant dans l'essor du commerce au pays. En 1870, la Terre de Rupert, un vaste territoire issu de la fusion de la Compagnie de la Baie d'Hudson et de la Compagnie du Nord-Ouest, est cédée au Dominion du Canada. Il s'agissait d'une étape majeure dans l'unification du Canada actuel.

Les grands explorateurs

Beaucoup d'explorateurs ont parcouru le Canada à la recherche de richesses et de terres à revendiquer au nom des commerçants européens.

Jean Cabot

Bien que Jean Cabot soit né en Italie, il a été explorateur et navigateur au nom de l'Angleterre. Cabot a tenté de trouver le **passage du Nord-Ouest**, mais a malheureusement échoué dans sa tentative. Cabot a été le premier à revendiquer les terres du Canada pour la Couronne britannique.

← Cabot 1497

Jacques Cartier

Jacques Cartier était un explorateur français à la recherche du passage du Nord-Ouest. Il a entrepris trois expéditions au Canada pour trouver une route vers l'Asie. Le nom Canada, formé à partir du terme huron-iroquois kanata, lui est attribuable.

← Cartier 1534

← Cartier 1535 & 1541

Samuel de Champlain

Samuel de Champlain, un explorateur et navigateur français, a cartographié une grande partie du nord-est de l'Amérique du Nord. Il a également mis sur pied une colonie en Nouvelle-France (le Québec actuel). Champlain a joué un rôle important dans l'administration de cette colonie.

← Champlain 1603

← Champlain 1615

Henry Hudson

Henry Hudson, un explorateur et navigateur britannique, a exploré le nord-est de l'Amérique du Nord et l'océan Arctique. Hudson a tenté de trouver le passage du Nord-Ouest en passant par le sud du Canada, aux États-Unis.

← Hudson 1609

← Hudson 1610

CANADA
Baie d'Hudson
Baie James
Détroit de Belle-Isle
LABRADOR
TERRE-NEUVE
Île d'Anticosti
Golfe du Saint-Laurent
Péninsule de la Gaspésie
CAP BRETON
ÎLE-DU-PRINCE-ÉDOUARD
NOUVELLE-ÉCOSSE
Océan Atlantique
Stadaconé (Québec)
Hochelaga (Montréal)
Fleuve Saint-Laurent
Lac Nipissing
Baie Georgienne
Lac Ontario
N
0
115
230
Kilomètres

La chronologie

1548 La Compagnie de Moscovie finance une première expédition.

1570–1575 Henry Hudson naît près de Londres, en Angleterre.

1585–1587 Beaucoup de gens croient qu'Hudson fait partie de l'expédition de John Davis visant à trouver le passage du Nord-Ouest entre l'Angleterre et l'Asie.

1588 L'Invincible Armada espagnole est vaincue par la flotte anglaise.

1604 L'Angleterre conclut des ententes commerciales avec certains pays comme l'Inde, qui n'est pas sous l'emprise de l'Espagne.

1607 Hudson écrit à un ami pour lui faire part de son rêve de trouver le passage du Nord-Ouest.

1607 Hudson entreprend sa première expédition, qui le mène dans les îles Svalbard, en Norvège.

1608 Hudson entreprend sa deuxième expédition, au cours de laquelle il atteint la Sibérie et la Russie.

1609 Hudson entreprend sa troisième expédition, au cours de laquelle il atteint les Carolines du Nord et du Sud aux États-Unis.

August 1610 Hudson s'embarque pour la Nouvelle-France.

September 1610 Hudson découvre et explore le fleuve Hudson.

1611 Le dernier voyage d'Hudson se termine par une mutinerie.

1611 Hudson meurt.

1613 L'Angleterre envoie deux navires à la recherche du passage du Nord-Ouest et d'Hudson.

1616 Robert Bylot et William Baffin, respectivement capitaine et pilote, se dirigent vers le nord et confirment qu'il n'existe pas de passage du Nord-Ouest et ne peuvent retrouver Hudson.

1618 Les mutins sont acquittés des accusations de meurtre de l'explorateur.

1870 Le vaste territoire appelé Terre de Rupert est cédé au Dominion du Canada.

1936 On construit le pont Henry Hudson, reliant Manhattan au Bronx à New York.

La confection de biscuits de mer

Les explorateurs apportaient très peu de nourriture au cours de leurs périples, car il était impossible de la conserver dans les cales du navire. Les biscuits de mer constituaient l'un des produits essentiels à bord. À l'aide d'un adulte, vous pouvez confectionner des biscuits de mer.

Le matériel

1 cuillère à mélanger
1 l de farine
15 ml de poudre à pâte
15 ml de sel
235 ml d'eau
1 tôle à biscuits
1 couteau
1 rouleau à pâte

Les directives

1. Demander à un adulte de préchauffer le four à 230 degrés Celsius.
2. Mélanger la farine, la poudre à pâte, le sel et l'eau dans un bol afin de former une pâte.
3. Rouler la pâte sur la tôle à biscuits.
4. Demander à un adulte de vous aider à couper la pâte en carrés. Faites des trous dans chaque carré de pâte avec une fourchette.
5. Cuire pendant 20 minutes, ou jusqu'à ce que les biscuits soient dorés.

Questionnaire

1. En quelle année Hudson a-t-il dirigé sa première expédition ?

2. Que recherchait Hudson ?

3. Qu'est-ce que la Compagnie de Moscovie ?

4. Quel aliment était essentiel à bord des navires ?

5. Qui a employé Hudson pour son troisième voyage ? Pourquoi ?

6. Pour quelle raison Hudson a-t-il modifié sa destination pour la Nouvelle-France au cours de sa troisième expédition ?

7. Quelle est la plus grande découverte d'Hudson ?

8. Nommez deux des navires d'Hudson.

9. Quel membre de la famille d'Hudson l'a accompagné dans ses expéditions ?

10. Qu'est-il arrivé à Hudson ?

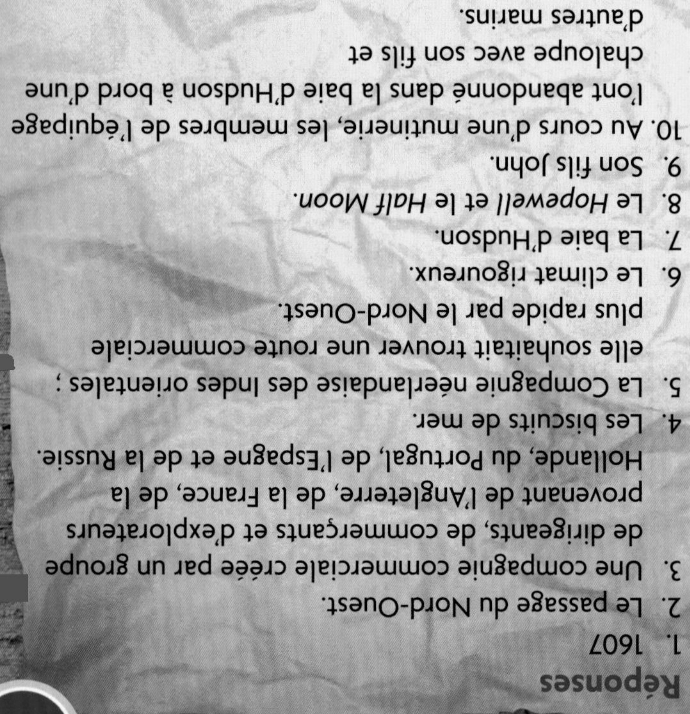

Réponses

1. 1607
2. Le passage du Nord-Ouest.
3. Une compagnie commerciale créée par un groupe de dirigeants, de commerçants et d'explorateurs provenant de l'Angleterre, de la France, de la Hollande, du Portugal, de l'Espagne et de la Russie.
4. Les biscuits de mer.
5. La Compagnie néerlandaise des Indes orientales ; elle souhaitait trouver une route commerciale plus rapide par le Nord-Ouest.
6. Le climat rigoureux.
7. La baie d'Hudson.
8. Le *Hopewell* et le *Half Moon*.
9. Son fils John.
10. Au cours d'une mutinerie, les membres de l'équipage l'ont abandonné dans la baie d'Hudson à bord d'une chaloupe avec son fils et d'autres marins.

Les sites web

Pour obtenir plus de renseignements sur Henry Hudson et d'autres explorateurs, visitez les sites web suivants :

L'exploration : le commerce de la fourrure et Compagnie de la Baie d'Hudson
http://www.canadiana.org/hbc/person/hudson_f.html

Les voies de la découverte : L'exploration du Canada
www.collectionscanada.ca/explorers/h24-1440-f.html

Historica : L'encyclopédie canadienne. Pour lire nombre d'articles sur Henry Hudson, entrez Henry Hudson dans la clé de recherche.
http://www.thecanadianencyclopedia.com/index.cfm?PgNm=HomePage&Params=F1

Les livres

Manning, Ruth. *Henry Hudson*. Chicago, IL : Heinemann Library, 2001.

Saffer, Barbara. *Henry Hudson : Ill Fated Explorer of North America's Coast*. Langhorne, PA : Chelsea House Publishers, 2002.

Sherman, Joseph. *Henry Hudson : English Explorer of the Northwest Passage*. New York, NY Rosen Publishing Group, 2003.

Glossaire

aéré (adj.) : endroit où l'air circule

des apprentis (n.m.pl.) : personnes qui apprennent un métier en travaillant auprès d'une personne d'expérience

une boussole (n.f.) : outil utilisé pour déterminer la direction grâce aux aiguilles aimantées alignées sur le champ magnétique de la Terre

la Compagnie anglaise des Indes orientales (n.f.) : entreprise anglaise qui fait le commerce d'épices avec l'Extrême-Orient

contaminé (adj.) : sale ou impur

corsaire (adj.) : personne embauchée par un pays pour combattre les navires ennemis et voler leurs cargaisons

des courants (n.m.pl.) : masse d'eau qui se déplace dans une seule direction

les historiens (n.m.pl.) : personnes qui étudient l'histoire

infesté (adj.) : envahi par un important nombre

la latitude (n.f.) : distance au nord ou au sud de l'Équateur

un maître d'équipage (n.m.) : membre de l'équipage responsable du matériel et de l'accomplissement des tâches des autres membres

un marchand (n.m.) : personne qui achète et revend des biens

les mâts (n.m.pl.) : longs poteaux servant à porter les voiles du navire

une mutinerie (n.f.) : rébellion ou résistance face au dirigeant

la navigation (n.f.) : action de naviguer, de piloter ou de manœuvrer un navire

le Nouveau Monde (n.m.) : territoire de l'Amérique du Sud et de l'Amérique du Nord ainsi que les îles avoisinantes

le passage du Nord-Ouest (n.m.) : route de l'océan Atlantique à l'océan Pacifique qui passerait par l'archipel de l'Arctique au nord du Canada et par la côte nord de l'Alaska

le scorbut (n.m.) : maladie causée par un manque de vitamine C, qui entraîne la pourriture des gencives, la perte des dents et des douleurs à la peau

Index